Trace then write the word **or**.

```
O r
```

Circle the word **or**.

or	from	that	or
THEY	**or**	or	**I**
or	have	**this**	**AT**
be	**OR**	I	or

Goblin Soup
by Lisa Charlesworth

T0298169

Trace then write the word **one**.

one

Circle the word **one**.

OR	one	have	one
one	be	one	AT
from	THIS	I	one
they	one	ONE	or

Trace then write the word **had**.

had

Circle the word **had**.

or	**have**	had	**be**
had	at	on	had
FROM	had	this	one
had	on	HAD	had

Trace then write the word **by**.

by

Circle the word **by**.

by	or	by	FROM
have	from	this	by
by	with	BY	have
OR	by	had	by

Trace then write the word **words**.

words

Circle the word **words**.

words	or	words	HAVE
BY	one	and	words
have	words	had	by
words	this	WORDS	words

Cub Cannot Fly
by Lisa Charlesworth

SCHOLASTIC

Trace then write the word **but**.

b̶u̶t̶

Circle the word **but**.

but	words	had	but
one	**but**	or	**FROM**
but	**BY**	have	but
but	as	**BUT**	they

Trace then write the word **not**.

```
not
```

Circle the word **not**.

word	by	not	BUT
NOT	one	have	not
not	OR	not	from
from	not	this	not

Trace then write the word **what**.

what

Circle the word **what**.

what	but	WHAT	what
not	what	**have**	and
words	one	what	THE
what	what	**or**	one

Trace then write the word **all**.

all

Circle the word **all**.

words	**ALL**	all	one
what	all	and	**all**
BUT	**by**	all	from
all	not	**HAD**	all

Trace then write the word **were**.

were

Circle the word **were**.

all	were	**not**	**WERE**
were	**what**	were	words
words	**had**	but	**were**
were	**ALL**	were	**as**

Trace then write the word **we**.

we

Circle the word **we**.

WE	what	we	but
words	we	all	BY
we	NOT	we	we
by	were	we	one

Penguin Pals
by Lisa Charlesworth
SCHOLASTIC

Trace then write the word **when**.

when

Circle the word **when**.

all	when	**WHEN**	what
when	we	**when**	but
but	when	were	**WORDS**
when	**ALL**	not	**when**

Trace then write the word **your**.

your

Circle the word **your**.

your	when	were	**WHAT**
BUT	your	your	by
your	not	**we**	**your**
on	**your**	**YOUR**	all

Trace then write the word **can**.

can

Circle the word **can**.

can	your	can	we
when	can	**WHAT**	when
CAN	**not**	can	**had**
all	can	**were**	can

Trace then write the word **said**.

said -

_____

- -

_____

Circle the word **said**.

said	your	**said**	were
we	**SAID**	from	said
what	**said**	can	**ALL**
said	or	**WE**	said

Trace then write the word **there**.

There Is a Goat

t h e r e

Circle the word **there**.

there	**there**	said	THERE
ALL	your	there	have
when	there	CAN	one
there	were	when	there

Trace then write the word **use**.

us̲e̲

Circle the word **use**.

use	there	your	WE
were	said	use	use
CAN	use	when	by
use	with	USE	use

Trace then write the word **an**.

an

Circle the word **an**.

an	said	**can**	an
when	**an**	AN	when
an	use	**there**	an
THERE	an	we	FROM

Trace then write the word **each**.

e̱a̱c̱ẖ

Circle the word **each**.

AN	each	can	**each**
each	**not**	each	**WHEN**
said	**EACH**	use	your
each	there	**this**	each

Trace then write the word **which**.

which

Circle the word **which**.

can	which	**WHICH**	not
which	you	said	which
THERE	which	which	**use**
which	an	each	**CAN**

She Is a
Baby Ghost
by Lisa Charlesworth

Trace then write the word **she**.

she

Circle the word **she**.

she	which	use	**she**
SHE	**said**	can	when
there	she	she	**AN**
she	an	**EACH**	she

Big Giant, Little Giant
by Lisa Charlesworth

Trace then write the word **do**.

do

Circle the word **do**.

she	USE	do	there
do	each	said	DO
WERE	do	**do**	which
do	at	AN	do

Trace then write the word **how**.

how

Circle the word **how**.

SHE	your	how	**how**
how	how	**AN**	there
which	**do**	use	how
each	**HOW**	how	**have**

Clown Cars
by Lisa Charlesworth

SCHOLASTIC

Trace then write the word **their**.

their

Circle the word **their**.

their	he	use	their
THEIR	their	how	when
which	AN	their	EACH
do	their	she	their